Mystère aux Antilles

C/ Trafalgar, 10, entlo. 1ª
08010 Barcelone (Espagne)
Tél. (+34) 93 268 03 00
Fax (+34) 93 310 33 40
fle@difusion.com

www.difusion.com

Collection
« Alex Leroc, journaliste »

Auteur
Christian Lause

Édition
Agustín Garmendia et Aurélie Carré

Conception graphique et couverture
Cay Bertholdt

Illustrations
Javier Andrada

Enregistrements
Voix : Christian Lause
Coordination des enregistrements : Mireille Bloyet
Studio d'enregistrement : CYO Studios

ISBN : 978-84-8443-393-4

Dépôt légal : B-31.021-2007

Imprimé en Espagne par Novoprint, S.A.

Mystère aux Antilles

Christian
Lause

Alex Leroc est journaliste. Il travaille pour *L'Avis*, un magazine belge. Le magazine s'intéresse principalement aux célébrités. Il enquête aussi sur les scandales qui choquent la société. Alex est français mais vit à Bruxelles où se trouvent les bureaux du magazine. Il se déplace très souvent en France.

Dans cette histoire, vous allez rencontrer :

Alex Leroc. Un journaliste qui vit uniquement pour son travail. C'est un homme sérieux. Comme il déteste toute forme de superstition, il est confronté dans cette histoire à de sérieuses difficultés.

Jacky. Photographe de presse et collègue d'Alex. Il a peur de prendre l'avion mais si une situation réellement dangereuse se présente alors il n'a peur de rien. Son défaut : il tombe amoureux de toutes les femmes qu'il rencontre.

Nina. L'autre collègue d'Alex, jeune femme très intelligente. Elle pratique le kick boxing mais c'est surtout son intuition qui l'aide dans les situations dangereuses.

Marie Calliandra. Jeune chanteuse martiniquaise qui disparaît mystérieusement après sa victoire au concours « l'Europe en chansons ». Est-elle honnête et généreuse ou très naïve ?

Pol Klein. Inspecteur de police à Bruxelles. Il s'entend très bien avec Alex Leroc. Ses méthodes ne sont pas toujours conventionnelles mais il est très efficace.

Pierre Dulac. Directeur du magazine *L'Avis*. Il demande à ses journalistes beaucoup de flexibilité. Il est un peu autoritaire et tout à fait impatient.

Thibaut Saint-Gris. Tarologue. Il lit les cartes du tarot dans un étrange restaurant parisien. Il propose aux trois journalistes de résoudre une énigme.

Le 12 décembre. Paris, 22 h

J'arrive au Palais des Congrès. Ce soir, je dois écrire un article sur « l'Europe en chansons » : c'est un concours proposé en direct à des millions de téléspectateurs ! Nina, ma collègue du magazine *L'Avis* est déjà là.

— Salut Nina, ça va ?

— Moi, ça va. Et toi ? Tu arrives avec une demi-heure de retard.

— C'est vrai. Heureusement que toi, tu es toujours à l'heure !

— Tu n'as pas l'air en forme.

— Je n'aime pas ce genre de musique, c'est tout. Tu me connais, non ?

— Oui, je te connais, je te connais très bien.

— Toi, tu as l'air en pleine forme. Ça te fait plaisir d'assister à « l'Europe en chansons » ?

— C'est[1] pas génial mais c'est amusant. Pour envoyer un SMS à la fin du programme. Tu donnes ton appréciation, tu distribues dix points aux chanteurs et aux chanteuses que tu aimes.

— Nina, ça ne m'intéresse pas, je t'assure.

— Écoute ! C'est la Française qui va chanter.

Un présentateur se déplace sur la scène. Il est habillé comme Elvis Presley : il porte un costume blanc et des lunettes de soleil. Il a une coiffure « banane ». Quel mauvais goût !

[1] En français oral, le **ne** de la forme négative est souvent absent.

« Voici maintenant la représentante de la France. Elle a dix-neuf ans et elle est étudiante. Elle vient de la Martinique, un des plus beaux territores d'outre-mer[2]. Son prénom : Marie. Son nom : Calliandra. Savez-vous que, Calliandra, c'est aussi le nom d'une fleur de la Martinique ? Vous allez la découvrir. Nous écoutons maintenant sa chanson : " D.O.M.-T.O.M. " . »

Quand la chanson se termine, Nina me regarde.

— Qu'est-ce que tu penses de Marie Calliandra ?

— C'est évident, non ? Elle est jolie, très jolie. Elle chante bien, elle a probablement du talent, mais sa chanson est trop commerciale. C'est pas mon style.

— Alex, je te rappelle que tu travailles pour *L'Avis*, le magazine des stars. Tu ne travailles pas pour France Culture[3] !

Mon portable sonne. La sonnerie particulière fait rire Nina : C'est « Toccata et Fugue » de Bach. Elle trouve probablement que Bach, c'est un peu prétentieux. Mais elle rit et j'aime quand Nina rit. Je la trouve très belle.

— Salut Alex, c'est Jacky.

— Où es-tu ?

— À Bruxelles. Je regarde « l'Europe en chansons ».

— C'est pas possible ! Tu aimes ça, toi ?

— Je suis amoureux, Alex.

[2] D.O.M-T.O.M : initiales de départements d'outre mer et territoires d'outre mer. Aujourd'hui, il faut en principe les appeler D.R.O.M. mais tout le monde continue à les appeler D.O.M.-T.O.M.

[3] Radio prestigieuse qui diffuse des programmes de musique classique, des critiques littéraires etc.

— De qui ?

— De Marie Calliandra.

— Quoi ? Qu'est-ce que tu dis ?

— Mais oui ! C'est la plus belle représentante de l'espèce humaine, une des merveilles du monde. Si tu as l'occasion de parler avec elle, tu peux lui dire que ton meilleur ami, ton collègue photographe, est amoureux d'elle. Je veux absolument la rencontrer. Elle est divine, elle est parfaite. C'est simple : je l'aime.

— Écoute, Jacky, elle a dix-neuf ans...

— Et moi, vingt-huit. Je suis sûr qu'elle cherche un homme intelligent, expérimenté, stable, sportif, élégant,...

— C'est ton profil, ça ?

— Évidemment, qu'est-ce que tu imagines ? Et toi, Alex Leroc, le sérieux, l'intellectuel, tu crois que tu es irrésistible ?

— Dis-moi, Jacky, c'est pas possible ! Tu me téléphones pour me dire ça ?

— Mais non, c'est une blague ! Je t'appelle pour te dire que Nina et toi vous ne devez pas revenir à Bruxelles immédiatement après « l'Europe en Chansons ». Il y a un super reportage à faire : la princesse de Monaco[4] est à Paris et c'est peut-être pour une nouvelle histoire d'amour.

— C'est sérieux ?

— Je ne sais pas. Il faut vérifier. C'est votre travail. Si l'information est correcte, vous m'appelez et j'arrive pour photographier les amoureux. D'accord ?

— D'accord.

— Bon, alors, à plus tard.

— Jacky, si je vois Marie Calliandra, je lui parlerai de toi. C'est promis !

— Tu es trop gentil. Allez, ciao[5] !

[4] La famille princière de Monaco intéresse beaucoup les magazines à sensations, la presse du cœur.

[5] Beaucoup de Français utilisent ce mot italien pour se dire « au revoir » de manière informelle.

Deux heures plus tard, les résultats du concours sont communiqués. Jacky est sûrement enchanté d'apprendre que Marie Calliandra est la gagnante !

Marie Calliandra fait quelques commentaires devant toute la presse rassemblée mais elle ne répond pas aux questions sur sa vie sentimentale ou sur ses passions secrètes. Elle n'a vraiment pas le profil d'une star du show-biz[6].

Le lendemain, le 13 décembre, nous essayons de surprendre la princesse de Monaco avec un nouvel amoureux mais nos efforts sont inutiles : elle est à Paris, elle vient s'acheter une robe de Christian Dior, rue du Faubourg Saint-Honoré[7] pour le réveillon du Nouvel An[8]. Elle ne vient pas pour une histoire d'amour. Nous téléphonons à Jacky pour l'informer et nous retournons à Bruxelles sans aucune nouvelle intéressante à publier. C'est le destin des journalistes : on se déplace souvent inutilement.

Bruxelles, le 22 décembre

J'ai un rendez-vous au Cygne, un café de la Grand-Place[9]. La Grand-Place est magnifiquement décorée en cette période de Noël. Il y a un sapin géant au centre et les façades sont illuminées.

Dulac, le patron de *L'Avis*, me demande de rencontrer un homme qui veut nous dire le secret de Fiorella, la « diva ». Ça, c'est un reportage qui commence bien ! Fiorella, c'est une chanteuse

[6] Show business : terme que les Français utilisent pour définir l'univers des chanteurs et des acteurs médiatiques où on parle principalement d'argent.

[7] Quartier où se trouvent les boutiques des grands couturiers (Chanel, Dior, Yves Saint-Laurent,...).

[8] La fête qui a lieu la nuit du 31 décembre au 1er janvier. On dit aussi : la nuit de la Saint Sylvestre.

[9] La Grand-Place de Bruxelles est une place célèbre pour la beauté de son architecture.

italienne qui a trouvé la gloire en Belgique à la fin des années 60. Elle a 63 ans, elle a encore un public de fans très nombreux qui s'intéressent à elle. Dulac a raison, ça peut faire un bon article.

Dans le café, seules quelques tables sont occupées. À l'une d'elles, un homme seul est assis et me regarde entrer. Il tient un exemplaire de *L'Avis* en main. C'est notre code pour nous reconnaître. Je vais m'asseoir à sa table.

— Bonjour monsieur, je m'appelle Alex Leroc.

— Pardonnez-moi, je ne veux pas vous donner mon nom, pour l'instant.

— C'est comme vous voulez. Je vous écoute.

— Eh bien voilà, Fiorella vit une tragédie. Elle est désespérée parce que son amant l'a abandonnée. C'est un drame terrible pour elle. Elle est prête à tout pour retrouver l'amour de cet homme, un ancien danseur, un pauvre type[10] qui ne la mérite pas. Mais ce n'est pas tout : Fiorella est également victime d'un étrange personnage qui a profité de sa situation émotionnelle. Un marabout[11] lui a proposé d'utiliser la magie pour modifier les sentiments de son amant, pour le faire revenir. Le marabout a demandé beaucoup d'argent pour ça.

— Combien ?

— 125 000 euros.

— Effectivement, c'est beaucoup d'argent !

— Ce marabout est un manipulateur. Il profite de la naïveté des gens. Il sait aussi choisir ses victimes : toujours des gens riches et fragiles émotionnellement. Il prétend être leur ami et il prend tout leur argent.

— Vous dites « marabout » ? Il est Africain ?

10 Familier : homme.

11 Sorcier africain à qui on attribue des pouvoirs surnaturels.

— Non. Vous avez raison, ce n'est pas un marabout. En fait, il pratique des rites vaudou[12]. Il dit qu'il est originaire des Caraïbes et il se présente comme grand prêtre vaudou.

— Est-ce que Fiorella a informé la police.

— Non.

— Pourquoi est-ce que vous me racontez cette histoire ?

— Je veux aider Fiorella à identifier et condamner cet escroc. Je veux aussi l'aider à sortir de sa dépression.

— Vous avez des pistes pour le retrouver ?

— Moi, non. Je sais seulement qu'il se fait appeler Mambo[13]. Par contre, je suis sûr que Fiorella possède des informations sur lui.

— Pourquoi est-ce qu'elle ne parle pas à la police ?

— Fiorella est complètement désespérée, elle ne veut voir personne. Mais si vous publiez un article et que le public manifeste sa sympathie, je pense qu'elle se sentira mieux et qu'elle parlera à la police. Vous savez, c'est une femme très sensible.

— D'accord, je vais écrire un article pour informer nos lecteurs du drame de Fiorella. Vous avez bien fait de nous contacter. Vous ne voulez vraiment pas me dire qui vous êtes ?

— Pas maintenant. Plus tard, peut-être. Merci, monsieur Leroc et Joyeux Noël[14].

— Joyeux Noël, monsieur.

Je retourne à *L'Avis* pour écrire mon article. Dulac est très content que je travaille sur cette affaire. Il pense que le drame de la « diva » va intéresser nos lecteurs.

[12] Rites magiques qui se pratiquent principalement à Haïti, mais aussi à la Martinique et sur d'autres îles des Caraïbes.

[13] Grand Prêtre vaudou.

[14] Joyeux Noël et Bonne Année sont les expressions utilisées à cette période.

Bruxelles, le 4 janvier

J'arrive à *L'Avis*. Mon chef, Dulac, vient me voir. Quand mon chef vient dans mon bureau, ça signifie qu'il y a un problème. Je n'aime pas ça.

— Alex, ça fait deux heures que je vous[15] cherche. Où êtes-vous quand on a besoin de vous? Vous devez allumer votre portable. C'est difficile ?

— Je suis désolé, monsieur Dulac, quand je suis à moto, c'est inutile, je n'entends pas mon portable.

— Les livreurs de pizzas sur leur mobylette, on peut les contacter plus facilement que vous. C'est incroyable, Alex, je vous rappelle que vous êtes journaliste à *L'Avis*. Je veux pouvoir vous contacter 24 heures sur 24. Finies, les vacances de Noël ! Vous partez immédiatement à Paris. Marie Calliandra nous accorde une interview exclusive.

— Mais je ne comprends pas. Normalement, aujourd'hui, j'ai rendez-vous avec Fiorella. Elle accepte enfin de me rencontrer. Je suis sur la piste du Mambo et j'ai besoin de plus d'informations.

— Eh oui, Alex, le journalisme est une profession pleine de surprises. Vous verrez la diva de la chanson sentimentale un autre jour. Aujourd'hui, vous vous concentrez sur Marie Calliandra. Son disque se vend très bien. Le public l'adore. C'est une priorité absolue.

— D'accord, d'accord, monsieur Dulac.

[15] Dans un contexte de travail, les francophones (surtout en France) se disent « vous ». C'est encore plus normal s'il y a une différence hiérarchique. Ils se disent « tu » seulement s'ils se connaissent bien.

— Jacky et Nina vous attendent. Vous partez à Paris en voiture, tous les trois.

— Pourquoi pas en TGV[16] ?

— Vous avez rendez-vous dans un hôtel, à Saint-Denis, au nord de Paris. C'est plus rapide en voiture.

Ce n'est pas plus rapide, c'est moins cher. Parce que c'est la voiture de Jacky. C'est une vieille Renault 5. À 120 Km/h, les vibrations sont terribles. Le chauffage ne fonctionne pas bien et, en plus, le moteur fait tellement de bruit qu'on ne peut pas se parler normalement. Je dois parler très fort, je dois crier pour raconter à mes amis l'histoire de la diva folle d'amour. Nina aime les histoires d'amour. Elle fait du kick boxing mais elle aime les histoires d'amour.

Paris, Softhotel de Saint-Denis

Marie Calliandra arrive un peu après nous et je la regarde marcher dans notre direction. Je remarque immédiatement qu'elle est très jolie, qu'elle a quelque chose de spécial. Jacky est complètement hypnotisé. Nina commence l'interview.

— Bonjour, Marie, je m'appelle Nina Lavandy, je suis journaliste à *L'Avis*.

— Bonjour.

— Et voici mes collègues Alex Leroc et Jacky Duchamp.

— Enchantée.

— Marie, parlez-nous du titre de votre chanson : « D.O.M.-T.O.M. ».

[16] TGV: Train à Grande Vitesse.

— Vous savez que je suis martiniquaise. La Martinique est un D.O.M.-T.O.M.[17] et ces mots sonnent aussi comme des tambours : « dom tom dom tom ... ».

— C'est un rythme martiniquais ? demande Nina.

— Non, absolument pas, c'est juste un rythme qui fait penser aux pays tropicaux, mais ce n'est pas traditionnel. C'est une chanson pour danser, une chanson facile à chanter, sympa[18].

J'observe Marie pendant qu'elle parle. C'est une jolie métisse, avec des cheveux longs et noirs et des yeux marron. Elle est grande et mince. Son disque se vend très bien mais elle ne semble pas du tout prétentieuse. J'interviens dans la conversation :

— Vous étudiez ?

— Oui, l'art dramatique.

— Vous étudiez à Paris ?

— Oui. Et ça fait trois ans que j'habite à Paris.

— Et votre famille ?

— Mes parents sont ici aussi.

— Qu'est-ce qu'ils font ? demande Nina.

— Ma mère est styliste, c'est une créatrice de mode, elle dessine des vêtements, des bijoux. Mon père, lui, il est cuisinier, il a un restaurant.

J'aime la voix de Marie. Elle parle calmement, sa voix est chaude. Je continue l'interview :

— Quelles sont vos priorités dans la vie, Marie?

— Eh bien, être libre, parler librement, communiquer vraiment. Écouter aussi, c'est très important pour moi. Les autres m'intéressent, vraiment.

[17] C'est comme ça qu'on appelle les territoires et les départements situés loin de la France métropolitaine : les territoires français d'outre mer.

[18] Familier : sympathique, agréable. Ici : sans prétention.

— Vous avez une passion ?

— Oui, j'ai une passion pour le Tarot[19].

— Ça, c'est original, dit Nina. Vous interprétez les cartes du tarot ?

— Oui, mais seulement avec mes amis. Ça me plaît beaucoup.

— Et vos amis, qu'est-ce qu'ils pensent de votre *hobby*[20] ?

— J'ai des amis parisiens qui pensent que je suis un peu folle. C'est vrai que j'aime les symboles, les mythes. Mes amis martiniquais, au contraire, pensent que je suis trop raisonnable, trop sérieuse. Qui sait ?

— Vous faites du sport ?

— Je fais souvent du roller[21] pour me déplacer dans Paris, quand il ne pleut pas trop. Je voudrais faire plus de sport mais je n'ai pas le temps.

— Quelle est votre principale qualité, quel est votre principal défaut ?

— Une qualité ? Je ne sais pas. C'est difficile à dire. Ah oui, une chose très importante : je suis fidèle à mes amis ! Un défaut ?

— Vous n'avez pas de défauts ?

— Je suis très naïve.

Le 7 février. 10 heures du matin

Je suis à L'Escale, un bar qui se trouve à côté des bureaux de *L'Avis*. Je bois un café avec l'inspecteur de police Pol Klein. Grâce à lui,

[19] Le tarot est un ensemble de 78 cartes illustrées. On peut interroger ces cartes pour tenter de mieux se connaître ou prédire l'avenir.

[20] Passe-temps, intérêt. Les Français préfèrent utiliser le mot anglais *hobby*.

[21] Faire du *roller skate* ou du patin à roulettes. Les parisiens ont transformé le « roller » en phénomène de société. Pour certains Parisiens, c'est un moyen de transport comme les autres.

nous obtenons souvent de nombreuses informations. Et nous, à *L'Avis*, nous ne sommes pas égoïstes, nous lui donnons aussi des pistes utiles. C'est une excellente collaboration ! En général, les policiers et les journalistes ne s'entendent pas bien, mais entre lui et nous, c'est différent : il y a une confiance mutuelle.

— Alors, dit Pol Klein, comment va la diva ?

— Comment sais-tu que je m'intéresse à Fiorella ?

— Moi aussi, je m'intéresse à Fiorella, mais c'est parce que je veux attraper le Mambo. Je veux trouver cet escroc qui s'attaque aux stars.

— Alors on travaille ensemble ? C'est fantastique ! Eh bien, Fiorella va mieux. Je l'ai finalement rencontrée il y a deux semaines : elle parle. Elle est heureuse de savoir que le public l'aime encore. C'est une personne très émotive. Mon article sur elle provoque beaucoup de réactions. Nos lecteurs nous écrivent. À *L'Avis*, nous rassemblons toutes les informations communiquées par les victimes du Mambo.

— Très bien ! On peut échanger quelques informations, toi et moi ? propose Pol Klein.

— D'accord. Ce Mambo, c'est un grand manipulateur ! Il s'est spécialisé dans le monde du show-biz. Il a déjà fait une énorme série de victimes, toutes sont des personnalités plus ou moins connues dans le monde de la chanson et du cinéma. Vous n'avez aucune idée de l'endroit où il est ?

— Peut-être à la Guadeloupe ou à la Martinique ? La police française le recherche dans les Caraïbes. Moi, je crois qu'il est en Belgique mais je ne suis pas sûr.

« Toccata et fugue ». C'est Dulac qui m'appelle sur mon portable.

— Désolé, Alex, mais il faut interrompre toutes vos activités. Vous partez à Paris immédiatement, Nina et Jacky y sont déjà. Vous prenez le TGV à 11 heures. Vos collègues vous attendent à la « Montagne Pelée[22] ».

— Pardon ? Où ? Pourquoi ?

— « La Montagne Pelée », c'est le nom du restaurant du père de Marie Calliandra. Nina et Jacky y sont allés pour faire un reportage photo. L'idée était de la photographier en compagnie de ses parents mais elle n'est pas là. Marie Calliandra a disparu ! C'est peut-être une nouvelle sensationnelle.

— Mais je suis en train de travailler sur Fiorella et son Mambo...

— Désolé Alex, mais Marie Calliandra, c'est urgent. Vous avez un quart d'heure pour arriver à la gare. Vous mangerez dans le train.

— Bon, ben j'y vais, dis-je avec résignation.

Pol Klein me regarde. Lui, c'est un homme tranquille, il ne s'énerve pas. Je vois dans son regard ce qu'il veut me dire : « Ne t'énerve pas, résiste à la pression. »

— Bon voyage ! me dit-il tout simplement.

Quand j'arrive à la « Montagne Pelée », Nina et Jacky sont en compagnie d'une jeune femme. Les parents de Marie ne sont pas encore avec eux.

— Salut Nina, salut[23] Jacky. Bonjour mademoiselle.

[22] C'est le nom du volcan de la Martinique, toujours en activité. Il y a eu une violente éruption en 1902.
[23] On dit salut aux personnes qu'on connaît bien.

— Bonjour, je m'appelle Margot Bonnaire. Je suis la colocataire[24] de Marie. Vous êtes Alex Leroc, n'est-ce pas ?

— Oui, c'est moi.

— J'ai trouvé l'agenda de Marie dans sa chambre, avec la date et le lieu de l'interview avec vous. C'est comme ça que je suis là, moi aussi. Je suis inquiète parce que ça fait une semaine que nous ne savons pas où elle est. J'ai parlé à la police mais ils disent qu'il faut attendre, qu'il ne faut pas s'inquiéter.

— C'est vrai, pourquoi est-ce que vous êtes si inquiète, demande Nina ? Marie est une star maintenant. Peut-être qu'elle veut changer d'appartement et qu'elle ne sait pas comment vous le dire.

— Je ne crois pas. C'est une fille sincère. Elle dit tout ce qu'elle pense. Elle est très spontanée, très simple. En fait, j'ai peur pour elle. Vous savez, quand on[25] gagne rapidement beaucoup d'argent et qu'on est célèbre, on se fait des amis qui ne sont pas vraiment des amis.

— Qu'est-ce que vous voulez dire ? Vous pensez à quelqu'un en particulier ?

— Je ne veux pas parler de ça devant le père de Marie. Avant qu'il arrive, je voudrais vous dire qu'après sa victoire à « l'Europe en chansons », Marie a rencontré un type bizarre. Marie était fascinée par cet homme mais en même temps elle avait peur de lui. Ces derniers temps, il téléphonait souvent, il passait chez nous. Il disait qu'il était l'ami de Marie. Mais elle, elle m'a dit qu'elle avait peur de lui, qu'elle ne voulait pas le voir. Il prétendait être un grand prêtre vaudou.

— Un grand prêtre vaudou... le Mambo ? Vous dites que Marie connaît le Mambo ?

— Oui, le Mambo ! Et vous ? Vous le connaissez ? demande Margot.

[24] Personne qui partage un appartement avec d'autres. Les colocataires sont souvent des étudiants qui louent ensemble un appartement pour pouvoir payer le loyer.

[25] Ici, **on** signifie « quelqu'un ».

À ce moment-là, les parents de Marie entrent dans le restaurant et viennent nous saluer. Madame Calliandra est froide et distante mais son mari a l'air de bonne humeur. Je me lève le premier pour les saluer.

— Bonjour madame, bonjour monsieur, je suis désolé de vous rencontrer dans des circonstances difficiles.

— Bonjour tout le monde[26] ! répond monsieur Calliandra. Pas de panique. Je crois que ma fille Marie prend simplement des vacances.

Je décide de lui parler sincèrement :

— Vous croyez ? Elle part sans informer sa famille. Elle n'annule pas son rendez-vous avec la presse. Vous trouvez ça normal ?

— Il y a quelque chose qui ne va pas ? me demande le père de Marie. Vous savez quelque chose que je ne sais pas, monsieur... ?

— Leroc, Alex Leroc, du magazine *L'Avis*. Écoutez, nous pensons que Marie a peut-être rencontré un homme dangereux.

Une des serveuses du restaurant s'approche de notre table pour nous parler.

— Excusez-moi, je veux vous dire quelque chose. C'est peut-être important.

— Parlez, on vous écoute, dis-je.

— Voilà, je vous entends parler de Marie. Je connais un café où elle va régulièrement. C'est un café qui se trouve dans mon quartier, dans le Marais[27]. C'est un café très étrange. Les voisins disent que c'est comme un temple, que c'est peut-être un lieu où

[26] Manière familière de saluer plusieurs personnes à la fois.

[27] Quartier ancien de Paris. C'est un quartier élégant et pittoresque.

se retrouvent les membres d'une secte. Je n'ai jamais parlé de ça parce que ce ne sont pas mes affaires. Mais si Marie est en danger, c'est différent.

— Vous êtes entrée dans ce café ? demande Nina.

— Non, je ne veux pas. Ça me fait peur !

Les parents de Marie semblent surpris d'entendre cette nouvelle. Apparemment, la mère ne veut pas nous parler mais le père veut en savoir plus :

— Qu'est-ce que vous suggérez, monsieur Leroc ? demande-t-il.

—Écoutez, nous sommes journalistes, laissez-nous faire une enquête. Après tout, c'est notre travail. Nous aurons probablement besoin de votre aide, est-ce que vous acceptez de nous communiquer des informations, si c'est nécessaire ?

— D'accord, répond le père, mais je vous le répète : je ne suis pas inquiet. Je connais ma fille.

— Mademoiselle, dis-je à la serveuse, pouvez-vous nous donner le nom et l'adresse de ce café ?

— Il s'appelle « La Salamandre », Rue Vieille-du-Temple, en face d'un antiquaire, près du Marché des Blancs-Manteaux.

Je regarde la mère de Marie Calliandra. Elle me fixe dans les yeux mais elle ne parle pas. Je tourne alors la tête en direction de mes collègues :

— On y va ?

— On y va ! répondent en chœur Nina et Jacky.

— Margot, nous avons peut-être besoin de vous. Est-ce que vous acceptez de nous accompagner ?

— Oui, je veux bien.

Nous disons au revoir aux parents de Marie et à la serveuse. Margot nous accompagne. Elle peut nous aider à identifier le Mambo. Pour moi, c'est une piste sérieuse. Avant de sortir, je me tourne encore une fois vers le père de Marie :

— Si nous savons quelque chose, nous vous informerons, dis-je. De votre côté, appelez-nous si vous avez des nouvelles.
— D'accord, me répond-il.

« La Salamandre » : nous y sommes. C'est, en effet, un petit restaurant à l'aspect étrange. Il n'est pas à sa place dans ce quartier si élégant.

— Entrons, dit Nina avec impatience.

À l'entrée, c'est un squelette qui accueille les clients. Le squelette porte un chapeau et une écharpe aux couleurs du Paris Saint-Germain[28]. Il y a très peu de lumière. Sur les tables, il y a des bougies de toutes les formes qui éclairent à peine la salle. Sur les murs, il y a des poèmes écrits par des poètes surréalistes. On entend une chanson d'Edith Piaf[29] sur un vieux juke-box.

— Le lieu est étrange, dit Nina, mais j'aime bien l'ambiance.
— Moi, je n'aime pas. Et toi Jacky ?
— C'est curieux !

Nous allons vers le bar. Le barman lave des verres.

[28] Le Paris Saint-Germain est le principal club de football à Paris.

[29] Chanteuse qui a triomphé en France dans les années quarante et cinquante grâce à des chansons d'amour comme « la vie en rose ».

— Bonsoir ! Qu'est-ce que vous voulez boire, demande-t-il ?

— D'abord, une petite question. Est-ce que vous connaissez le Mambo ?

— Le Mambo ? Qu'est-ce que c'est ? Un cocktail de fruits ? Qu'est-ce que vous voulez boire ? Nous avons des jus de fruits exceptionnels. Je vous conseille le jus de mangue.

J'observe deux personnes assises à la table du fond. Un homme avec des cheveux blancs très longs présente différentes cartes à un autre homme assis devant lui.

— Qui est cet homme, qu'est-ce qu'il fait ? demande Jacky au serveur.

— Qui ?

— L'homme aux longs cheveux blancs.

— Ah, le Marseillais !

— C'est un supporter de l'Olympique de Marseille[30] ? demande Jacky.

— Non, c'est un tarologue. On l'appelle le Marseillais parce qu'il travaille avec le Tarot de Marseille[31]. En fait, il est parisien, il est du quartier. Il s'appelle Thibaut Saint-Gris. Il est ici tous les soirs.

— On[32] peut lui parler ?

— Vous voyez bien qu'il travaille. Il faut attendre.

— Vous voulez dire que le tarot, c'est son travail ? Il gagne beaucoup d'argent ?

— Non, vous payez ce que vous voulez. Il travaille surtout pour le plaisir de parler avec les gens. Vous payez seulement si vous êtes satisfait.

[30] Grand port de la Méditerranée. Deuxième ville de France. La ville est célèbre pour son club de football : l'Olympique de Marseille.

[31] Jeu de cartes « ésotérique », d'origine marseillaise.

[32] Ici **on** a le sens de « nous », mais grammaticalement, il est à la troisième personne du singulier.

— Il a beaucoup de clients ?

— Ouais[33] ! Et ici, vous pouvez rencontrer des gens célèbres. Mick Jagger[34] vient souvent.

— Et Marie Calliandra ?

— Oui, elle vient aussi, c'est une autre cliente célèbre.

— Elle vient ici pour le tarot, j'imagine ?

— Évidemment !

— Allons-y, propose Nina.

— Qu'est-ce que vous buvez ? répète le barman.

Nina va parler au « Marseillais ». Mais elle revient tout de suite, elle n'a pas l'air contente.

— Il ne peut pas nous rencontrer immédiatement. Il faut attendre une heure, peut-être plus !

— On peut manger ici, si vous voulez, propose Jacky.

— Pourquoi pas ? dit Nina.

Je regarde Margot.

— Est-ce que cet homme peut être le Mambo ? Vous le reconnaissez ?

— Non, ce n'est pas lui, j'en suis sûre.

— Si vous voulez dîner, je vous recommande le ragoût[35], dit le patron.

— D'accord ! dit Jacky. Est-ce que vous mangez avec nous, Margot ?

— Si ça ne vous dérange pas, je préfère retourner chez moi, je dois étudier. Voici mon numéro de téléphone. Vous pouvez m'appeler si vous avez besoin de moi.

33 Familier : oui.

34 Le chanteur des Rolling Stones vit à Paris.

35 Viande en sauce.

— Merci Margot.
— Et qu'est-ce que vous buvez ? demande le serveur.

Une heure plus tard, enfin, le tarologue se retrouve seul. Nous nous levons tous les trois pour aller lui parler. Je suis le plus rapide :

— Bonsoir. Vous connaissez Marie Calliandra ?

Le Marseillais ne nous regarde pas. Il met de l'ordre sur sa table, tranquillement. J'insiste.

— Marie Calliandra, la jeune martiniquaise, gagnante de « l'Europe en chansons » ?

Thibaut Saint-Gris lève alors les yeux et me regarde fixement. Il ne dit rien, il reste silencieux. Je m'énerve. J'insiste.

— Nous savons que vous connaissez Marie Calliandra.

Saint-Gris ne s'intéresse pas à ce que je dis. C'est incroyable !

— Asseyez-vous, dit-il enfin. Prenez une carte.
— Quoi ? Comment ? Pourquoi ?
— Prenez une carte et posez une question complète. Réfléchissez bien à votre question. Prenez votre temps.
— Allez Alex, intervient Nina, prends une carte. Fais-le pour Marie et pour le reportage. C'est important !
— Vous êtes tous fous. Bon, d'accord, je prends une carte. Voilà, vous êtes contents ? Et maintenant : où est Marie ?

— Marie Calliandra se pose les bonnes questions. Elle sait comment utiliser les cartes du tarot, dit calmement Saint-Gris. Mais vous, je ne connais même pas votre nom, et vous arrivez ici énervé, furieux. Calmez-vous. Si vous voulez des réponses, il faut prendre le temps de poser des questions.

— Je m'appelle Leroc, Alex Leroc et je suis journaliste. J'ai l'habitude de poser des questions.

— Vous êtes journaliste et vous vous intéressez à Marie. Pour savoir où elle est, il faut réfléchir, imaginer ses préoccupations, se poser les questions qu'elle se pose. Vous, personnellement, qu'est-ce qui vous intéresse le plus dans la vie ?

— Moi ? Le travail. Ma vie, c'est mon travail de journaliste.

— Vous voulez savoir si c'est un travail pour vous ? Voyons, quelle carte choisissez-vous ?

Je choisis une carte. Il la prend en main et la regarde attentivement.

— Ah, ah, l'Amoureux ! Quelle place occupe l'amour dans votre vie, monsieur Leroc ? Savez-vous si vous aimez vraiment votre travail ? Êtes-vous conscient de vos émotions?

— Je ne comprends pas. Qu'est-ce que vous voulez me dire ? Parlez clairement, s'il vous plaît !

— Les cartes sont de simples cartes, continue Saint-Gris. Elles sont en papier, il y a des illustrations en couleurs, elles sont jolies. Mais si vous posez les bonnes questions, les symboles vous permettent de réfléchir tranquillement et de trouver des pistes. Parfois les cartes vous offrent des solutions.

— Je peux essayer moi aussi ? demande Nina.

— Asseyez-vous, mademoiselle, je vous prie[36]. Prenez trois cartes.

[36] Invitation formulée de manière très élégante.

Après un petit moment de réflexion, Nina sélectionne trois cartes que Saint-Gris observe avec beaucoup d'attention.

— L'Impératrice... C'est intéressant ! Le Chariot et l'Amoureux. Très intéressant !

— C'est curieux, Nina a pris la même carte que toi, Alex, dit Jacky.

— Oh Jacky, ça suffit, je t'en prie. Bon, écoutez, monsieur Saint-Gris, nous sommes ici parce que nous voulons retrouver Marie. On peut parler d'elle, s'il vous plaît ?

— Quelles étaient les dernières cartes de Marie ? demande Nina.

— Vous savez, pour elle, ça n'a pas la même signification que pour vous. Je ne peux pas vous interpréter le message que les cartes transmettent à Marie. Mais si vous voulez y penser, je me rappelle très bien : la Maison Dieu, le Chariot et l'Ermite.

— Je n'y comprends rien, dit Jacky. Et toi, Alex, tu comprends quelque chose ?

— C'est une blague !

— Marie croit que les cartes disent la vérité ? demande Nina.

— Elle est intelligente, conclut Saint-Gris, de manière énigmatique.

— C'est terminé ? demande Nina.

— Oui. Maintenant, vous avez les mêmes informations que moi pour imaginer où est Marie Calliandra. Rappelez-vous : la Maison Dieu, le Chariot et l'Ermite.

— C'est une énigme que vous nous proposez ?

— Oui. Peut-être...

Le 14 février

À Bruxelles, une semaine plus tard. Nina nous invite, Jacky et moi, à prendre un café à L'Escale. Quand la machine à café de *L'Avis* ne fonctionne pas — ça arrive souvent — nous venons ici.

— Asseyez-vous et écoutez-moi, dit Nina. Ça fait une semaine que j'étudie les cartes du tarot. Si je me mets à la place de Marie, je crois que les cartes indiquent une recherche. Je pense que Marie cherche quelque chose d'important.

— Alors maintenant, tu sais interpréter les cartes du tarot ? demande Jacky.

— Écoutez-moi. Il y a une carte qui annonce un voyage, l'autre une naissance et la troisième un changement profond. Je combine les trois cartes et voilà ma déduction : si Marie fait un grand voyage, elle recommence une nouvelle vie et elle trouve son chemin. Bref, c'est simple : je crois qu'elle est repartie à la Martinique.

— Nina, dis-je, peux-tu me dire pourquoi cette fille qui obtient un succès phénoménal à sa première apparition publique abandonne tout et retourne sur son île ?

— C'est vrai, continue Jacky, c'est pas logique[37]. Les jeunes aiment le succès, l'argent, la célébrité. Ils ne quittent pas tout ça pour vivre sur une île.

— C'est mon intuition féminine qui me dit ça. Une carte du tarot que j'ai tirée avec Saint-Gris me dit que je dois suivre mon intuition.

— Encore ce Saint-Gris ? Il m'énerve, ce type.

— Écoute Alex, je t'assure, il est très intéressant.

[37] Familier : ce n'est pas logique.

— C'est un manipulateur, c'est sûr.
— Mais non, c'est pas vrai, il est intelligent et honnête !
— Qui te le dit ? Ton intuition ?

Un portable sonne. C'est « Toccata et Fugue ». Je réponds :

— Allô ? Oui, bonjour monsieur Dulac. Hein... Comment ? Ce n'est pas possible !

Je regarde Nina. Je veux être sûr de bien comprendre. Je demande à Dulac de répéter. Mes collègues s'impatientent mais pendant quelques secondes, je suis incapable de parler.

— Qu'est-ce qui se passe, Alex ? demande Nina.
— Explique-nous. Pourquoi tu ne dis rien ? insiste Jacky.
— C'est... C'est incroyable : Marie est à la Martinique ! Dulac dit qu'il a des preuves.
— Tu vois ? J'ai raison ! me dit Nina.

À ce moment-là, Pol Klein entre dans le bar.

— Vous avez l'air bizarre tous les trois ! Il y a quelque chose qui ne va pas ?

Pol Klein, voilà un homme raisonnable, cartésien[38]. Il peut certainement faire admettre à Nina que ces pratiques superstitieuses sont absurdes :

— Pol, est-ce que tu connais le tarot ?
— Oui, un peu, quand je ne sais pas par où commencer une enquête difficile, je vais dans un petit bar d'Ixelles[39] pour consulter un tarologue congolais, un vrai professionnel !

[38] Se réfère à Descartes, un philosophe français du XVIIe siècle qui se caractérise par ses théories très rationnelles, très logiques. Beaucoup de Français se reconnaissent dans ses modes de raisonnements.
[39] Ixelles est un quartier de Bruxelles où il y a beaucoup de bars, de restaurants cosmopolites.

— Quoi ? C'est pas possible : si toi aussi tu es superstitieux, nous sommes perdus ! Bon, Nina, Jacky, j'espère que vous êtes libres ces jours-ci. Dulac nous envoie en mission. Il faut faire nos valises, nous allons à la Martinique. Il faut partir le plus rapidement possible.

— Vous allez à la Martinique ? demande Pol Klein. Vous partez à la recherche du Mambo ?

— Du Mambo ? Non, de Marie Calliandra ! dis-je.

En disant ça, je regarde fixement le policier. Mince alors[40] ! C'est évident. La question de Pol Klein me fait prendre conscience d'une chose terrible : si Marie Calliandra est à la Martinique, c'est probablement parce que le Mambo y est aussi. Il faut absolument aller au secours de la jeune femme.

— Nina, dis-je, toi, tu penses que Marie Calliandra est à la Martinique pour recommencer une nouvelle vie et trouver son chemin, mais il y a peut-être une autre explication : le Mambo !

— Le Mambo ? répètent Nina et Jacky.

— Oui, merci Pol de me rappeler que le Mambo se trouve à la Martinique. Nous cherchons Marie Calliandra mais je crois que si nous trouvons l'un, nous trouverons l'autre. Marie est peut-être sous l'influence de ce gourou.

— Hum ! C'est possible ! Allez à la Martinique, prenez des informations, et surtout, restez en contact avec moi, dit Pol Klein.

Avant de partir à l'aéroport, je prends le temps de téléphoner aux parents de Marie Calliandra. J'arrive à contacter sa mère au restaurant « la Montagne Pelée ». Finalement, elle accepte de me parler :

[40] Expression marquant la surprise.

— Madame Calliandra, nous partons à la Martinique parce que nous pensons vraiment que votre fille se trouve là-bas.

— Comment le savez-vous ?

— À *L'Avis*, nous recevons beaucoup d'informations tous les jours. On les sélectionne, on vérifie leur crédibilité, leur origine. Ensuite on décide si une information mérite une enquête. Je suppose que cette information concernant votre fille est crédible parce que notre directeur n'a pas l'habitude de nous offrir des vacances aux Caraïbes.

— Moi, je ne comprends pas pourquoi notre fille ne nous appelle pas, pourquoi elle ne nous dit rien. Nous sommes ses parents ! Le seul message qu'elle nous a transmis est un e-mail où elle a écrit : « Ne vous inquiétez pas ».

— Je pense aussi que cette disparition est mystérieuse. Je veux retrouver votre fille, madame Calliandra, et je ferai le maximum pour y arriver.

— Écoutez, je sais que vous êtes journaliste, que vous travaillez pour le magazine *L'Avis*. Je sais que votre objectif est de vendre des informations sensationnelles. Je sais tout ça, mais malgré ça, j'ai confiance en vous, monsieur Leroc. Est-ce que je peux vous aider ?

— Oui. Si Marie est à la Martinique, dites-moi où on a une chance de la trouver.

— À Fort-de-France[41], c'est le plus probable. Elle est née là, elle conserve beaucoup d'amis là-bas, elle aime la ville.

— Et dans quel quartier ?

— Dans le quartier où nous avons vécu : Terres Sainville.

— Vous pouvez me le décrire ?

— C'est un ancien quartier populaire. C'est un quartier qui a beaucoup changé ces dernières années. Il y a beaucoup de commerçants, les gens se connaissent, les gens se parlent. Si Marie est là-bas, les gens du quartier le savent.

[41] Préfecture (capitale) de la Martinique.

— Merci, madame Calliandra. Dites-moi, pourquoi décidez-vous finalement de collaborer avec nous ?

— J'ai interrogé les cartes. Les cartes du tarot me disent de vous faire confiance.

— Vous avez la même passion que votre fille pour le tarot ?

— C'est exact, monsieur Leroc.

Fort-de-France, le 15 février à 10 heures

J'entends la voix de Nina :

— Alex ! Alex ! Réveille-toi. Nous atterrissons à la Martinique.

— Hein[42] ? Quoi ? Qu'est-ce qui se passe ? Où suis-je ?

— Tu es dans l'avion, avec Jacky et moi. Nous allons atterrir dans quelques secondes. Et toi, Jacky, ça va ? demande Nina.

Jacky a les yeux fermés mais il ne dort pas, lui. Il a l'air terrifié. Mon collègue a peur des avions et il a surtout peur des atterrissages.

— Laissez-moi tranquille ! Je suis occupé à faire le bilan de ma vie. Ce sont peut-être mes derniers moments.

Atterrissage impeccable à Fort-de-France. Nous allons chercher nos bagages. J'enlève ma veste à la sortie de l'aéroport parce qu'il fait 30 degrés : nous sommes sous les tropiques ! Nous prenons un taxi mais ce n'est pas une bonne idée.

[42] Expression marquant la surprise.

— Qu'est-ce qui se passe ? demande Jacky. Pourquoi est-ce qu'on n'avance pas ? Que font tous ces gens dans la rue ?

— C'est le dernier jour du carnaval, répond le chauffeur de taxi. Ça fait une semaine qu'on danse dans les rues du matin au soir. Aujourd'hui, tous les groupes défilent. Chaque groupe a ses musiciens, ses couleurs et ses costumes.

— C'est comme au Brésil, à Rio de Janeiro, alors ?

— Oui mais la musique est très différente. Ici, ce n'est pas la samba, c'est le zouk[43] ! répond le chauffeur.

— Laissez-nous descendre. Nous allons marcher jusqu'à l'hôtel. Je comprends maintenant pourquoi l'agence de voyages n'a pas trouvé de chambres facilement, fait remarquer Jacky. Nous sommes en plein carnaval.

Après une rapide installation, je suggère un premier plan d'attaque :

— Allons parler aux gens dans les bars et dans les magasins de Terres Sainville. Les gens de ce quartier peuvent nous informer. C'était le quartier de Marie. On peut interroger les commerçants, les anciens voisins.

— D'accord. Retrouvons-nous ici, à l'hôtel, vers 13 heures, propose Nina.

— Très bien, à tout à l'heure ! dit Jacky.

Dans la rue, il y a des femmes qui portent des paniers pleins de fruits et de légumes. Je marche derrière elles. J'arrive au marché. C'est très coloré, les gens sourient beaucoup et sont très gentils. Je leur demande s'ils connaissent Marie Calliandra, s'ils savent où elle est, mais ils me disent qu'ils ne savent pas. À un moment, j'interroge une vieille femme et je vois dans son regard qu'elle sait

[43] Genre musical qui combine funk, calypso, salsa et autres rythmes antillais, retravaillés par les synthétiseurs. Son succès populaire est énorme.

de qui je parle. Nous sommes interrompus par un homme qui dit quelques mots en créole[44] à la vieille femme puis disparaît immédiatement dans la foule compacte du marché. La vieille femme me répond tranquillement en créole. Comme je ne comprends pas, elle me désigne un arbre avec des fleurs rouges[45]. C'est clair : elle ne veut pas me répondre. Je me dirige ensuite vers une autre marchande, une jeune femme :

— Bonjour, je cherche Marie Calliandra, la chanteuse. Je suis journaliste. Vous savez où je peux la trouver ?

La jeune femme n'a pas le temps de me répondre. Un homme s'interpose à nouveau et dit quelques mots en créole à la marchande. Il s'éloigne immédiatement après. La jeune femme me regarde avec un sourire :

— Bonjour, monsieur le journaliste. Regardez les beaux fruits que je vends. Vous voulez goûter une mangue, une papaye ?
— Euh[46] ... Donnez-moi une banane. Cette grande banane-là.
— Voici, monsieur !

J'enlève la peau de la banane avec difficulté. La vendeuse me regarde, elle a l'air étonnée. Je commence à la manger, la sensation est horrible. Cette banane a un très mauvais goût.

— Mais cette banane est amère ! Elle n'est pas bonne !
— C'est exact, monsieur le journaliste : il ne faut pas la manger comme ça. Il faut la faire frire ! Vous voulez goûter un autre fruit, bien sucré ?

[44] Langue parlée aux Antilles, mélange de langues indigènes ou africaines et de langues européennes (français, espagnol, portugais, anglais).
[45] Le calliandra est une fleur rouge.
[46] Interjection qu'on utilise quand on ne sait pas très bien ce qu'on veut dire.

— Euh, non, merci... C'est gentil. Alors, est-ce que vous savez où se trouve Marie Calliandra ?

— Non, monsieur le journaliste, je regrette, je ne sais pas !

Au moment précis où je quitte la marchande de fruits, alors que j'essaie d'avancer au milieu de tout ce monde, j'entends une voix derrière moi : « Laissez Marie Calliandra tranquille. Vous perdez votre temps. Rentrez chez vous, c'est préférable pour tout le monde. »

Je me retourne et j'ai à peine le temps de voir la silhouette d'un homme qui se perd facilement dans la foule.

13 heures

Nous nous retrouvons à l'hôtel pour déjeuner. Je constate que mes amis pensent comme moi : les gens ne veulent pas parler. Je leur propose d'autres stratégies pour continuer nos recherches mais Nina n'est pas d'accord. Elle exige une pause. Nina pense que dans toutes les circonstances il faut prendre le temps de s'occuper de soi, de manger correctement et à des heures régulières. On va donc s'installer à la terrasse de l'hôtel pour déjeuner. Elle regarde le menu et nous fait la lecture :

— Comme entrée, il y a l'avocat au crabe ou la choucroute de papayes vertes. Ensuite, comme plat principal, qu'est-ce que vous préférez ? Le poisson frais aux mille saveurs avec des patates douces grillées à la fleur de sel ou le foie gras poêlé à la mangue. Et pour finir, comme dessert, il y a un soufflé de fruit à pain ou une corbeille de fruits frais : des mangues, des ananas, des bananes, des noix de coco. Alors ? Qu'est-ce que vous choisissez ?

Moi, je suis incapable de me sentir bien, de me détendre, de profiter d'un bon repas. L'idée que Marie Calliandra est en danger m'occupe l'esprit.

Je me sens observé. Au bar, je reconnais un des types qui étaient au marché, un jeune homme qui parlait aux vendeuses.

« Toccata et Fugue », un appel pour moi : c'est Pol Klein !

— Bonjour Alex ! Bonne nouvelle : l'enquête avance. Nous savons maintenant qui est le Mambo. Nous l'avons identifié : c'est un certain Bob Barnac.

— Excellent ! Tu n'as pas d'autres informations ?

— Si, il possède une maison à la Martinique. C'est peut-être une piste...

— Où se trouve cette maison ?

— À vingt-six kilomètres au nord de Fort-de-France. Apparemment, les distances sont courtes à la Martinique. Je t'envoie un texto avec l'adresse exacte.

— Merci Pol. C'est une excellente information !

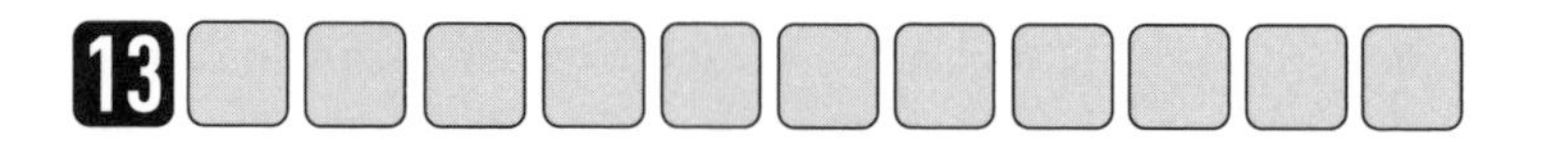

Avec une voiture de location nous traversons rapidement l'île, du sud au nord. Nous arrivons à Carbet, un adorable petit village. Nous interrogeons le propriétaire de l'unique hôtel.

— Qui ? Bob Barnac ? Non, il n'habite plus à Carbet. Ça fait longtemps qu'il est parti.

— Et sa maison ?

— Ça fait des années que la maison est inhabitée. Barnac a essayé de la vendre mais il n'y a pas de candidat pour l'acheter. Il ne vit plus à la Martinique, je crois. On ne le regrette pas, ce bandit !

— Vous êtes sûr que Bob Barnac n'est pas revenu dans la région.

— Impossible ! Ici, tout se sait. Tout le monde se connaît. On n'est pas nombreux.

À quelques kilomètres du village, nous stationnons devant la villa du Mambo. Le lieu est magnifique : derrière nous, la forêt tropicale et devant nous, des plages splendides, une eau transparente et du sable fin.

Nous sonnons à la porte, nous klaxonnons mais la maison est de toute évidence inhabitée depuis longtemps.

— On descend sur la plage ? propose Jacky.

— Pourquoi pas ? dit Nina.

On accède difficilement à une petite plage. La végétation tropicale arrive jusqu'au bord de la mer. On est si loin de la civilisation. Le calme est total.

Soudain, on entend le bruit d'une moto. Elle s'immobilise devant la maison de Bob Barnac. Ce n'est pas normal. Nous retournons vers la maison le plus rapidement possible mais nous arrivons trop tard, la moto démarre. C'est une moto de grosse cylindrée, il est inutile d'essayer de la poursuivre.

Jacky attire mon attention vers le pare-brise de notre voiture. Il y a un message fixé aux essuie-glaces :

> Rentrez chez vous. La personne que vous cherchez va très bien mais elle ne veut pas vous voir.

— C'est comme au marché de Terres Sainville, dis-je. Il y a des gens qui ne veulent pas qu'on rencontre Marie.

— Tu crois vraiment que Bob Barnac a un rapport avec tout ça ? demande Jacky.

— Nous n'avons aucune preuve de la présence de Bob Barnac ici à la Martinique, dit Nina. Qu'est-ce qui te fait croire que Marie a quitté Paris sous l'influence de ce type ?

— Nous savons que ce Mambo est dangereux, nous savons qu'il a rencontré Marie à Paris et nous savons que tous les deux sont probablement ici, à la Martinique. C'est vrai, je suis inquiet.

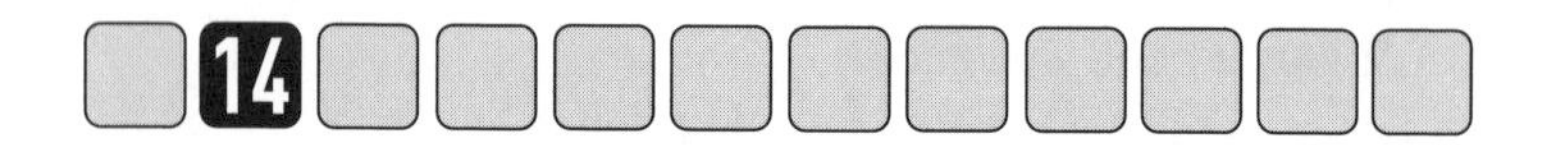

Fort-de-France, 23 heures

Après un spectacle de danses traditionnelles à l'hôtel, nous sortons pour faire une promenade dans la vieille ville.

— J'ai adoré le spectacle, dit Nina. Et vous ?

— Moi, dit Jacky, je continue à penser que les Martiniquaises sont les plus belles filles du monde ! Allons prendre un verre[47]. Il y a un bar sympa sur le port où on sert des jus de fruits frais.

— D'accord. Allons-y !

Nous marchons en direction du port quand soudain nous voyons approcher cinq hommes déguisés en squelettes, de la tête aux pieds. Ils ignorent que le carnaval est terminé ? Ils forment un cercle autour de nous. Ils commencent à nous parler en créole. Je ne comprends pas mais je suis sûr que ce ne sont pas des formules de politesse. L'un d'eux s'avance vers nous et nous dit en français :

— Partez ! Occupez-vous de vos affaires. Ici, on n'aime pas les journalistes indiscrets.

[47] Boire quelque chose (une bière, un jus de fruit, une limonade). On dit aussi « prendre un pot ».

— Attendez ! On veut savoir où est Marie, s'exclame Nina. Est-ce qu'elle va bien ?

— Laissez Marie tranquille. Partez !

Une seconde plus tard, ils se séparent et disparaissent dans les petites rues. Nous restons tous les trois immobiles pendant quelques instants. Je suis le premier à parler :

— Je n'aime pas ça. Je crois sincèrement que Marie est en danger.

— C'est aussi mon avis, dit Jacky.

— D'accord, admet finalement Nina. Si demain nous n'avons aucune piste concrète, nous allons voir la police.

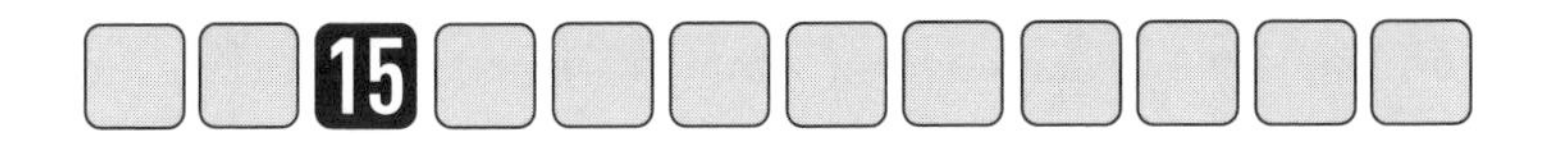

Le lendemain matin, 16 février, à l'hôtel, à l'heure du petit-déjeuner

— Tu as bien dormi ? me demande Nina.

— Non, j'ai très mal dormi.

— Et toi, Jacky ?

— Moi, j'ai rêvé de squelettes : quelle nuit horrible !

Le petit-déjeuner est impressionnant. Je passe devant le buffet et je le regarde avec admiration. Il y a tellement de choses merveilleuses à manger ! Jacky et Nina sont amateurs de bons petits déjeuners. Moi, je n'ai pas l'habitude de manger le matin. Je m'assieds pour boire un café. Je n'ai absolument pas faim. Je ne me sens pas tranquille, je me sens observé. Je vérifie discrètement si mon impression est justifiée et je constate que le jeune homme du marché nous observe encore. Je remarque qu'il parle de nous avec le barman et les serveurs de l'hôtel. Apparemment, il connaît tout le monde, ici.

Quand il se dirige vers la sortie, je me lève pour le suivre. Nina et Jacky sont surpris :

— Où vas-tu ? demande Jacky.

— Continuez à manger, dis-je. Il faut que je vérifie quelque chose.

Je dois aller vite. Je veux savoir qui est ce type. Au moment où je sors, il est assis sur une moto. Je la reconnais, c'est la moto qui nous a suivis à Carbet, au nord de l'île. L'homme met son casque et démarre. Il ne m'a pas vu.

Je regarde à gauche, je regarde à droite et je vois un taxi qui arrive. Je reconnais le chauffeur. C'est le chauffeur qui nous a parlé du carnaval, quand nous sommes arrivés hier.

— Taxi, vite ! J'ai besoin de vous.

— Montez !

— Vous voyez cette moto, suivez-la !

Heureusement, le conducteur de la moto ne sait pas que je suis derrière lui. Il roule lentement.

Nous traversons Fort-de-France. Je demande au chauffeur d'être très attentif.

La moto s'arrête. Nous sommes dans le quartier de Terres Sainville. Le motard ouvre la porte d'une sorte de grand magasin abandonné. Il y pénètre avec sa moto. Parfait. Je note l'adresse et je retourne à l'hôtel pour retrouver mes amis.

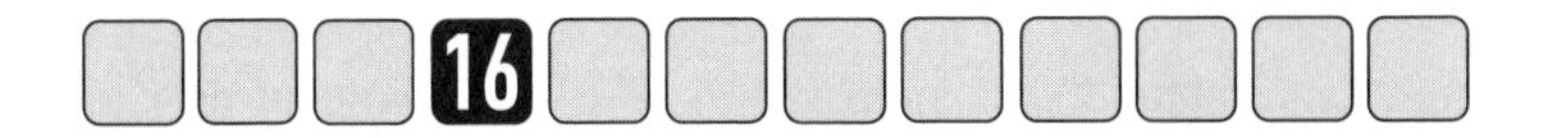

Quand j'arrive à l'hôtel, mes collègues ont l'air très heureux. Est-ce qu'ils devinent que j'ai une piste pour notre enquête ?

— Jacky, Nina, je sais où trouver le type à moto qui nous a laissé un message près de la maison de Barnac.

— À propos de Barnac, on a une bonne nouvelle, dit Nina.

— Quoi ? Qu'est-ce qui se passe ?

— Pol Klein a appelé.

— Qu'est-ce qu'il a dit ?

— Eh bien, une excellente nouvelle : ils ont arrêté Barnac.

— Où ?

— En Belgique, à Bruxelles. Tu vois, Alex : le Mambo n'est jamais venu ici, à la Martinique.

— Mais alors, qui veut nous éloigner de Marie Calliandra ?

— Tu nous emmènes là où se trouve le type à la moto ? suggère Nina. On va peut-être avoir la réponse.

Nous prenons un taxi mais tranquillement cette fois-ci. Quand nous frappons à la porte du grand magasin abandonné, je me sens nerveux. Jacky est nerveux, lui aussi. Je sais qu'il est nerveux parce qu'il ne parle pas. Normalement Jacky parle beaucoup. Nina est plus calme que nous. Nous entendons du bruit : des gens marchent à l'intérieur, des gens se parlent. On voit une silhouette à la fenêtre. Enfin, une porte s'ouvre et une main nous invite à entrer.

Il fait noir à l'intérieur. Nous ne voyons pas bien. Des gens nous conduisent jusqu'à une salle avec des chaises et nous demandent de nous asseoir.

Quand nous sommes assis, les lumières s'allument. D'abord, les lumières fortes ne me permettent pas d'ouvrir les yeux, puis je distingue qu'il y a une scène devant nous. Soudain, la musique commence. Marie Calliandra est là. Elle est au milieu de cinq musiciens. Elle a l'air heureuse, elle est superbe, en pleine forme. Elle commence à chanter et c'est absolument génial. J'aime cette voix, j'aime ces sonorités nouvelles pour moi. À la fin de la chanson, elle vient vers nous :

— Salut les paparazzi ! Alors, vous aimez les surprises ?
— Marie, qu'est-ce qui se passe ? Que faites-vous ici ?
— Vous n'êtes pas content de me voir, monsieur Leroc ?
— Mais si Marie, je suis très content, au contraire. J'ai eu très peur pour vous.
— Marie, vous êtes splendide, dit Jacky.
— Merci ! Vous voulez entendre les autres chansons ? Je prépare un concert, c'est un secret !
— Vous allez nous expliquer ce qui se passe ? demande Nina.
— Plus tard. Vous arrivez au milieu d'une répétition. Je vous invite à rester mais, s'il vous plaît, laissez-moi travailler. Écoutez !

Nous écoutons une dizaine de chansons, toutes très belles. Elle a un style tout à fait original. Après la dernière chanson, Marie revient vers nous :

— Je vous invite à prendre un verre sur le port. Vous n'êtes pas fâchés, j'espère ?
— Mais non, pourquoi ? répond Jacky.

Nous nous asseyons à une terrasse sur le port, face à la mer et Marie nous explique enfin son histoire :

— Je veux chanter des chansons vraies, des chansons qui me ressemblent, des chansons traditionnelles et vitales, respectueuses et rebelles. En France, ma carrière est marquée par « l'Europe en

chansons ». Si je veux être honnête avec moi-même, je dois changer de style. Ici, j'ai les musiciens et l'inspiration. Ici, je suis moi !

— Vous ne voulez plus retourner en France, demande Nina ?

— Après mon concert ici, je retournerai à Paris. Je veux montrer aux gens qui je suis vraiment.

— Pourquoi tous ces mystères, Marie ? Pourquoi est-ce que des gens ont voulu nous éloigner, nous faire peur ?

— Vous voulez parler de ces hommes déguisés en squelettes ?

— Oui.

— Vous ne les reconnaissez pas?

Elle nous présente ses cinq musiciens qui nous saluent gentiment.

— Ce sont mes amis musiciens, continue Marie, ils me protègent. C'est simple. Après mon succès à « l'Europe en chansons », j'ai senti toute la pression des producteurs, de la maison de disques, des journalistes. Alors je suis venue ici pour travailler dans le calme et le secret. Vous êtes journalistes et vous faites votre travail. Je vous comprends mais votre présence ici me complique la vie.

— C'est la vie, la vie de star, dit Nina !

— Mais finalement, maintenant, je suis prête. Enfin, je l'espère. Qu'est-ce que vous pensez de mes nouvelles chansons ?

— Vous êtes extraordinaire, dit Jacky.

— Fantastique, dit Nina, je téléphone immédiatement à Dulac pour lui expliquer que nous faisons un reportage exclusif sur la plus secrète des chanteuses martiniquaises !

Après une nuit de travail, nous pouvons envoyer les textes et les photos de notre reportage par courrier électronique. Juste à temps pour le publier dans *L'Avis* cette semaine.

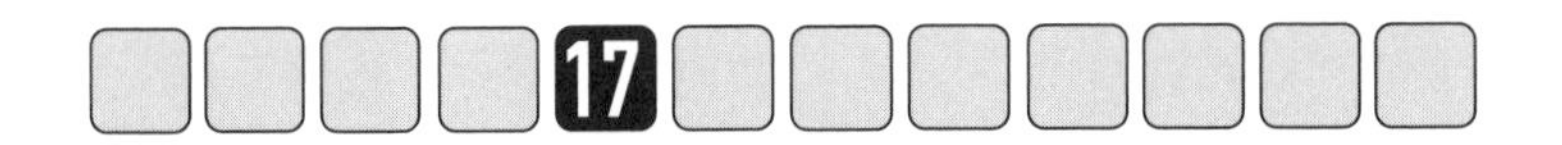

Bruxelles, le 18 février, 10 heures du matin

Quand j'arrive au bureau, Dulac m'accueille avec enthousiasme :

— Chapeau, Alex ! Le reportage sur Marie Calliandra à la Martinique est excellent. Vous avez fait du bon travail tous les trois. Il y a de l'émotion, des surprises, du mystère, de l'exotisme. Il manque un ingrédient : l'amour ! Heureusement, pour le prochain exemplaire de *L'Avis*, nous avons aussi Fiorella.

— Ah oui ? Comment va-t-elle ?

— Regardez le dossier, il est sur votre bureau, Alex. Pendant votre absence, vos collègues ont continué à travailler sur le drame de Fiorella.

J'ouvre le dossier et je lis rapidement les titres des différents articles que mes collègues ont écrits pendant que j'étais à la Martinique avec Nina et Jacky : « Fiorella retrouve l'amour et le sourire. » « Son compagnon revient et lui demande pardon. » « La seconde lune de miel de Fiorella. » Très bien ! Je suis content pour elle.

Soudain, mon regard se fixe sur une photo. C'est une photo de son compagnon. Je connais cet homme. Je ferme les yeux pour me concentrer et il me faut seulement quelques secondes pour me rappeler. L'homme qu'on voit sur la photo, l'homme qui embrasse Fiorella, c'est le mystérieux informateur que j'ai rencontré à Noël dans un café de la Grand-Place de Bruxelles. L'homme qui m'a parlé du drame de Fiorella était, en fait, son amant.

Je m'assieds et je réfléchis un instant à Bob Barnac. Qui sait ? C'est peut-être un authentique Mambo capable de réconcilier les amants !

Après la lecture

Chapitres 1 et 2

1. « L'Europe en chansons », qu'est-ce que c'est ?

	vrai	faux
A. C'est une série télévisée.		
B. C'est un concours télévisé.		
C. C'est un quizz.		

2. Alex est arrivé...

	vrai	faux	on ne sait pas
A. en forme.			
B. habillé en blanc.			
C. avec son téléphone portable.			
D. à l'heure.			

3. Dans la description de Jacky, retrouvez les adjectifs correspondant à ces définitions :

Jacky est une personne...	adjectif correspondant
A. mûre, avec de l'expérience.	
B. constante.	
C. qui réfléchit.	
D. qui s'habille avec goût.	
E. qui pratique une activité sportive.	

4. Avec les premières informations que vous possédez et à l'aide des adjectifs de la liste, faites un petit portrait de Nina, d'Alex et de Jacky. Vous pouvez naturellement ajouter d'autres adjectifs.

Nina est... Jacky est... Alex est...

beau/belle – prétentieux/prétentieuse – intelligent(e) – expérimenté(e) – sportif/sportive – élégant(e) – stable – sérieux/sérieuse – irrésistible – amoureux/amoureuse – jeune – amusant – sentimental(e) – secret/secrète – joyeux/euse.

Chapitre 3

5. À qui correspondent les affirmations suivantes :

Il/Elle	La Diva	Le Mambo	L'informateur
A. veut dire un secret.			
B. est malhonnête.			
C. est désespéré/e.			
D. est sensible.			
E. ne dit pas son nom.			
F. est dépressif/ve.			
G. lit *L'Avis*.			
H. se présente comme l'ami/e des stars.			
I. pense que le Mambo doit aller en prison.			
J. est une victime du Mambo.			

Chapitre 4

6. Terminer les phrases concernant Dulac, le chef d'Alex.

- Il vient me voir dans mon bureau seulement quand ...
- Il dit que je dois ...
- Il veut pouvoir me ...
- Il dit que le journalisme est ...
- Il m'oblige à aller à Paris en voiture parce que ...

7. Si vous pensez qu'Alex Leroc dit la vérité, comment imaginez-vous Dulac, son chef ?

Il est.../Il n'est pas... :
sentimental – manipulateur – beau – vieux – prétentieux – stable
amusant – sérieux – généreux...

8. Faites correspondre.

A	Les livreurs de pizza sont	1	très amoureuse.
B	Les vacances de Noël sont	2	terribles.
C	Les vibrations de la voiture de Jacky sont	3	faciles à contacter.
D	Le journalisme est	4	du bruit.
E	Le disque de Marie Calliandra est	5	une profession pleine de surprises.
F	La diva est	6	finies.
G	Le moteur de la vieille Renault 5 fait	7	un succès commercial.

Chapitres 3 et 5

9. Écrivez tout ce que vous savez sur :

	nationalité	âge	profession	caractère	aspect physique
Marie Calliandra					
Fiorella					

10. Comparez-les.

- Fiorella est plus .... que Marie.
- Marie est moins .... que Fiorella.
- Fiorella est aussi .... que Marie.

11. Qu'est-ce-qu'un D.O.M.-T.O.M. ? Qu'inspire ce mot à la chanteuse ?

Chapitre 6

12. Vrai ou faux ?

	vrai	faux
A. En général, les journalistes s'entendent bien avec les policiers.		
B. Pol Klein, l'inspecteur de police, n'est pas égoïste.		
C. Pol Klein sait qu'Alex s'intéresse à Fiorella.		
D. Pol Klein sait peut-être où est Mambo.		
E. Mambo est une ex-star de la chanson.		
F. Alex a finalement rencontré Fiorella mais la chanteuse a disparu après l'interview.		
G. Pol Klein est sympathique avec Alex.		
H. Alex doit prendre le train avec ses collègues Nina et Jacky pour aller à Paris.		

Chapitre 7

13. Retrouvez une information utile donnée par :

- la colocataire de Marie.
- la serveuse du restaurant.

14. Quelle est la différence entre l'attitude du père et l'attitude de la mère de Marie Calliandra ?

Chapitre 8

15. Qu'est-ce qui, à votre avis, correspond ou ne correspond pas à un restaurant élégant ?

	correspond	ne correspond pas
A. Sur les murs, il y a des poèmes écrits par des poètes surréalistes.		
B. Un squelette accueille les clients.		
C. Il y a des bougies sur les tables.		
D. On entend de la musique.		
E. Il y a une écharpe du Paris Saint-Germain.		
F. Il y a très peu de lumière.		

16. Complétez le tableau suivant concernant le Mambo.

	vrai	faux	on ne sait pas
A. C'est est un marabout africain.			
B. Il travaille bénévolement.			
C. Il manipule des personnes émotives.			
D. Il pratique des rites vaudous.			
E. Il vient des Caraïbes.			

17. Retrouvez ces éléments :

- Qui sont les victimes du Mambo ?
- Que ressent Marie envers le Mambo ? Faites une phrase avec cette structure pour marquer les contradictions :
  Elle .... *mais* ....

Chapitre 9

18. Imaginez que l'on adapte cette histoire au cinéma, sélectionnez des acteurs connus pour les rôles de/d' :

- Alex : ....
- Nina : ....
- Jacky : ....
- Thibaut de Saint-Gris : ....

Chapitre 10

19. Répondez aux questions suivantes :

A. Comment est-ce que Nina interprète l'énigme proposée par Thibaut de Saint-Gris ?

B. Est-ce que l'intuition de Nina est correcte ? Qu'est-ce qui confirme qu'elle a raison ?

C. Pourquoi est-ce que la mère de Marie fait finalement confiance à Alex ?

20. À votre avis, qui est un peu/très/trop ou n'est pas assez/pas du tout ?

	intuitif/ive	rationnel/elle	superstitieux/euse
A. Nina	très intuitive		
B. Pol Klein			
C. Jacky			
D. Dulac			
E. La mère de Marie			
F. Alex			

Chapitre 11

21. Au moment de l'atterrissage,...

A. qui a les yeux fermés parce qu'il dort ?

B. qui a les yeux fermés parce qu'il a peur ?

22. Les trois journalistes décident de marcher jusqu'à leur hôtel...

	vrai	faux
A. parce que les taxis n'ont pas l'autorisation de rouler pendant le carnaval.		
B. parce que les taxis sont trop chers.		
C. parce que tout est bloqué.		
D. parce qu'il fait trop chaud.		

23. Vrai ou faux ?

	vrai	faux
A. Le calliandra est un fruit qui a mauvais goût.		
B. Le créole est un mélange de français et de langues parlées aux Antilles.		
C. « Zouk » signifie « marché en langue créole ».		
D. Il fait 30 degrés parce que c'est l'été.		
F. Il y a un guide qui traduit les questions d'Alex aux vendeuses du marché.		

Chapitre 12

24. Quels plats du menu choisissez-vous ?

25. Pourquoi est-ce qu'Alex ne peut pas profiter tranquillement du repas ?

	oui	non
A. Il n'aime pas la cuisine martiniquaise.		
B. Il est interrompu par un appel téléphonique de Pol Klein.		
C. Il pense à Marie et croit qu'elle est en danger.		
D. Il se sent observé par un type du bar.		

Chapitre 13

26. Indiquez où se trouve/trouvent...

- La forêt tropicale :
- Les plages magnifiques :
- La villa de Bob Barnac .
- La civilisation :
- Le message :

Chapitre 14

27. Vrai ou faux ?

	vrai	faux
A. Les journalistes sont maintenant tous les trois inquiets.		
B. Le carnaval n'est pas terminé.		
C. Les hommes déguisés en squelette sont violents.		
D. Jacky pense que les Martiniquaises sont les plus belles filles du monde.		
E. Les squelettes partent ensemble en direction du port.		

Chapitre 15

28. Pourquoi ?

A. Pourquoi est-ce-que Jacky a mal dormi ?
B. Pourquoi est-ce-qu'Alex admire le buffet mais ne déjeune pas ?
C. Pourquoi est-ce-qu'Alex se lève et quitte ses amis ?
D. Pourquoi est-ce-que le conducteur de la moto roule lentement ?
E. Pourquoi est-ce-qu'il retourne à l'hôtel ?

Chapitre 16

29. Décrivez l'état d'esprit des trois journalistes quand ils arrivent au magasin.

- Alex se sent...
- Jacky...
- Nina...

30. Comment Alex devine l'état d'esprit de Jacky ?

31. L'explication.

	vrai	faux	on ne sait pas
A. Marie Calliandra veut trouver son style.			
B. Elle est malhonnête.			
C. Les hommes déguisés en squelette sont ses producteurs.			
D. Elle a besoin de pression pour travailler.			
E. Elle n'est pas spécialement contente de voir les journalistes.			

32. Des chansons « respectueuses et rebelles ». Opposez des adjectifs de la liste ou d'autres adjectifs pour définir ces personnages.

sérieux – intellectuel – nerveux – amoureux – élégant – sportif – simple – sentimental – expérimenté – manipulateur – désespéré – naïf – sympathique – prétentieux – égoïste – ...

Alex est .... mais ....
Jacky est .... mais ....
Nina est .... mais ....

Chapitre 17

33. Quels sont, pour Dulac, les ingrédients d'un bon reportage ?

34. A. Observez ces trois titres. Lequel est le plus sensationnel ? Lequel est le plus poétique ? Lequel est le plus sympathique ?

A. Fiorella retrouve l'amour et le sourire
B. Son compagnon revient et lui demande pardon
C. C'est comme une seconde lune de miel

B. Lequel préférez-vous ? Inventez un autre titre.

Solutions

Les solutions suivies du signe 💡 sont données à titre indicatif.

1. A. faux ; B. vrai ; C. faux

2. A. faux ; B. on ne sait pas ; C. vrai ; D. faux

3. A. expérimenté ; B. stable ; C. intelligent ; D. élégant ; E. sportif

4. 💡

Nina est **belle, intelligente, ponctuelle, joyeuse**.

Alex est **intelligent, sérieux**.

Jacky est **jeune, amoureux, sportif, élégant, stable, intelligent, sentimental**.

5. La Diva : C, D, F, J. Mambo : B, H. L'informateur : A, E, G, I

6.
- Il vient me voir dans mon bureau seulement quand **il y a un problème**.
- Il dit que je dois **allumer mon portable**.
- Il veut pouvoir me **contacter 24 heures sur 24**.
- Il dit que le journalisme est **une profession pleine de surprises**.
- Il m'oblige à aller à Paris en voiture parce que **c'est moins cher**.

7. 💡

Il et **sérieux, vieux, stable**...

Il n'est pas **sentimental, amusant, généreux**...

8. A, 3 ; B, 6 ; C, 2 ; D, 5 ; E, 7 ; F, 1 ; G, 4

9.

	nationalité	âge	profession	caractère	aspect physique
Marie Calliandra	**française d'origine martiniquaise**	**19**	**étudiante chanteuse**	**pas prétentieuse sociable sens de l'écoute fidèle en amitié aime l'ésotérisme**	**très jolie métisse cheveux longs et noirs yeux marron voix chaude**
Fiorella	**italienne**	**63**	**chanteuse**	**très sensible fragile influençable**	

10. • Fiorella est plus **âgée** que Marie.

• Marie est moins **déprimée** que Fiorella.

• Fiorella est aussi **sensible** que Marie.

11. Un D.O.M. est un département d'outre mer. Un T.O.M. est un territoire d'outre mer. Ce mot rappelle à la chanteuse le bruit des tambours.

12. A. faux ; B. vrai ; C. vrai ; D. vrai ; E. faux ; F. faux ; G. vrai ; H. faux

13. • La colocataire de Marie : **Marie a rencontré un type bizarre qui prétendait être un grand prêtre vaudou.**

• La serveuse du restaurant : **Marie fréquentait régulièrement un café du Marais qui a la réputation d'être un lieu étrange.**

14. Le père est de bonne humeur tandis que la mère est froide et distante.

15. Correspond : A, B, D, E, G. Ne correspond pas : C, F.

16. Faux : A, B, C ; vrai : D, E ; on ne sait pas : F

17. A. Des personnes fragiles émotionnellement, naïves et qui ont beaucoup d'argent.

B. Elle est fascinée par cet homme mais elle en a peur.

18. 💡

- Alex : **Vincent Pérez**
- Nina : **Virginie Ledoyen**
- Jacky : **Romain Duris**
- Thibaut de Saint-Gris : **Jean-Hugues Anglade**

19. A. Elle pense que Marie recherche quelque chose d'important. Les trois cartes lui donnent à penser que si elle fait un grand voyage, elle recommencera une nouvelle vie et trouvera son chemin.

B. Oui, son intuition est correcte. Un appel de Dulac confirme que Marie est rapartie à la Martinique.

C. Elle a lu dans les cartes du Tarot qu'elle devait lui faire confiance. De plus, elle a très peu de nouvelles de sa fille.

20.

	intuitif/ive	rationnel/elle	superstitieux/euse
A. Nina	très intuitive		
B. Pol Klein		très rationnel	un peu superstitieux
C. Jacky	pas assez intuitif		
D. Dulac		trop rationnel	
E. La mère de Marie			très superstitieuse
F. Alex			pas du tout superstitieux

21. A. Alex ; B. Jacky

22. A. faux ; B. faux ; C. vrai ; D. faux

23. A. faux ; B. vrai ; C. faux ; D. faux ; E. faux

25. Oui : C, D ; Non : A, B

26. • La forêt tropicale : **derrière les journalistes.**
- Les plages magnifiques : **devant Alex et ses amis.**
- La villa de Bob Barnac : **à quelques kilomètres du village.**
- La civilisation : **loin.**
- Le message : **sur le pare-brise de la voiture.**

27. Vrai : A, D ; Faux : B, E ; On ne sait pas : C

28. A. Parce qu'il a rêvé de squelettes.
B. Parce qu'il n'a pas l'habitude de manger le matin.
C. Pour suivre le jeune homme du marché.
D. Parce qu'il ne sait pas qu'Alex est derrière lui et le suit.
E. Pour retrouver ses amis.

29. • Alex se sent **nerveux.**
- Jacky **aussi est nerveux.**
- Nina **est plus calme que ses collègues.**

30. Parce que Jacky ne parle pas.

31. A. vrai ; B. faux ; C. faux ; D. faux ; E. vrai

32. Alex est **sérieux** mais **sympathique**.
Jacky est **sportif** mais **élégant**.
Nina est **sentimentale** mais **simple.**

33. Il faut de l'émotion, des surprises, du mystère, de l'exotisme et de l'amour.

34. A. Le plus sympathique ; B. Le plus spectaculaire ; C. Le plus poétique.